KB075593

아름다운 세상을 그리다 2
50 동물과 꽃 컬러링북

조혜라 지음

아름다운 세상을 그리다 2

50 동물과 꽃 컬러링북

발 행 | 2024년 3월 20일
저 자 | 조혜라
기획.디자인 | 조혜라
그림 | 조혜라 with Midjourney

펴낸이 | 한건희
펴낸곳 | 주식회사 부크크
출판사등록 | 2014.07.15(제2014-16호)
주 소 | 서울특별시 금천구 가산디지털1로 119 SK트윈타워 A동 305호
전 화 | 1670-8316
이메일 | info@bookk.co.kr

ISBN | 979-11-410-7721-1

www.bookk.co.kr

조혜라

오랜 기간 동안 다양한 교육의 현장에서 학생들과 과학실험을 하며, 과학의 원리를 쉽고 재미있게 지도하고 있습니다. 책을 읽고 그림을 그리는 것을 좋아하는 저는, 끊임없이 새로운 도전을 통해 배움을 즐기며, 주변 사람들과 따뜻한 소통을 통해 사랑과 감사의 일상을 보내고 있습니다. 이러한 저의 마음과 경험을 담아, 어린이들을 위한 컬러링북에 이어 이번에는 성인들을 위한 컬러링북을 출간하게 되었습니다. 바쁜 일상에서 잠시나마 벗어나 평온을 느끼고, 창의력을 마음껏 발휘할 수 있는 소중한 기회가 될 것입니다.

컬러링북 소개

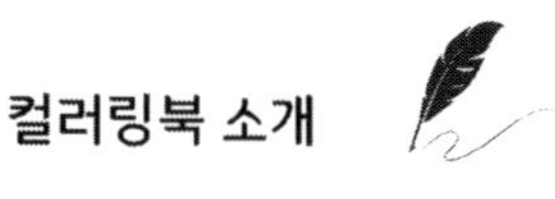

<아름다운 세상을 그리다 2, 50 동물과 꽃 컬러링북>
이 컬러링북에는 다양한 동물들과 아름다운 꽃들이 세밀하게 그려져 있어서, 자신만의 감각과 색채로 마음껏 채워나갈 수 있습니다. 이 작은 활동이 여러분의 일상에 조금씩 변화를 가져다주며, 그로 인해 큰 기쁨을 느끼고, 자신의 소소한 일상이 얼마나 소중하고 감사한 것인지를 다시 한번 느끼는 시간이 되기를 희망합니다. 여러분의 얼굴에 환한 미소가 가득하기를 응원합니다.

저와 함께 아름다운 세상을 그리며, 멋진 여행을 떠나볼까요?

컬러링의 10가지 효과

-스트레스 해소: 바쁜 일상 속에서도 컬러링은 마음의 안정을 찾고 스트레스를 줄이는 데 도움을 줍니다.
-창의력 증진: 다양한 색상과 패턴을 선택하며 창의력을 발휘할 수 있습니다.
-집중력 향상: 컬러링은 집중력을 필요로 합니다. 한 땀 한 땀 색칠하는 과정 속에서 집중력이 자연스럽게 향상됩니다.
-정서 안정: 색칠을 하며 마음이 차분해지고, 일상의 소소한 불안감이 줄어듭니다.
-만족감 및 성취감: 완성된 작품을 보며 느끼는 만족감과 성취감은 컬러링북 활동의 큰 보상입니다.
-디지털 디톡스: 스마트폰이나 컴퓨터 화면에서 벗어나 아날로그적인 활동을 통해 눈의 피로도 줄이고 마음의 여유도 찾을 수 있습니다.
-소셜 활동: 친구들이나 가족과 함께 컬러링을 하며 소통의 시간을 가질 수 있습니다.
-개인 맞춤형 명상: 색칠하는 동안 마음을 집중해서 자신만의 명상 시간을 가질 수 있습니다.
-감성 표현: 자신의 감정과 기분을 색상과 패턴으로 표현함으로써 내면의 감성을 드러낼 수 있습니다.
-자기 관리: 컬러링을 정기적으로 하는 것은 자기 자신에게 투자하는 시간이며, 이는 자기 관리의 중요한 부분이 됩니다.

개(dog)

고양이(cat)

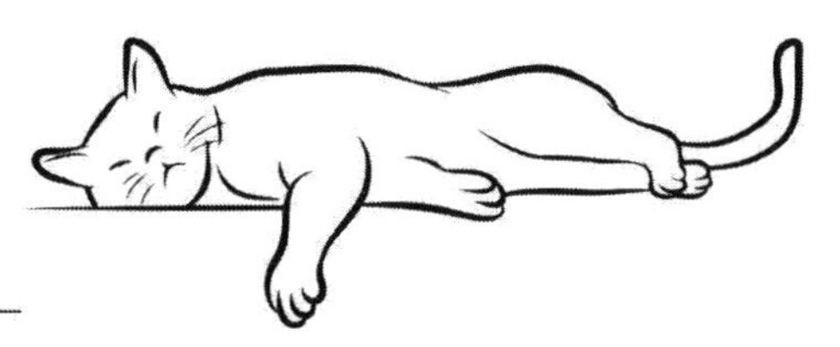

돼지(pig)

쥐(mouse)

양(sheep)

소(cow)

여우(fox)

코끼리(elephant)

늑대(wolf)

당나귀(donkey)

코알라(koala)

토끼(rabbit)

원숭이(monkey)

기린(giraffe)

호랑이(tiger)

사슴(deer)

비버(beaver)

곰(bear)

코뿔소(rhinoceros)

얼룩말(zebra)

너구리(raccoon)

다람쥐(squirrel)

판다(panda)

햄스터(hamster)

알파카(alpaca)

고슴도치(hedgehog)

개미핥기(anteater)

오소리(badger)

표범(leopard)

낙타(camel)

사자(lion)

캥거루(kangaroo)

염소(goat)

오리너구리(platypus)

고릴라(gorilla)

말(horse)

두더지(mole)

박쥐(bat)

하마(hippo)

스컹크(skunk)

치타(cheetah)

나무늘보(sloth)

수달(otter)

버팔로(buffalo)

퓨마(puma)

재규어(jaguar)

멧돼지(boar)

하이에나(hyena)

고래(whale)

밍크(mink)